习近平在纪念中国人民抗日战争暨世界反法西斯战争胜利70周年系列活动上的讲话

人民出版社

目　录

在纪念中国人民抗日战争暨世界反法西斯战争胜利70周年大会上的讲话

（2015年9月3日）

习　近　平

全国同胞们，

尊敬的各位国家元首、政府首脑和联合国等国际组织代表，

尊敬的各位来宾，

全体受阅将士们，

女士们、先生们，同志们、朋友们：

今天，是一个值得世界人民永远纪念的日子。70年前的今天，中国人民经过长达14年艰苦卓

绝的斗争，取得了中国人民抗日战争的伟大胜利，宣告了世界反法西斯战争的完全胜利，和平的阳光再次普照大地。

在这里，我代表中共中央、全国人大、国务院、全国政协、中央军委，向全国参加过抗日战争的老战士、老同志、爱国人士和抗日将领，向为中国人民抗日战争胜利作出重大贡献的海内外中华儿女，致以崇高的敬意！向支援和帮助过中国人民抵抗侵略的外国政府和国际友人，表示衷心的感谢！向参加今天大会的各国来宾和军人朋友们，表示热烈的欢迎！

女士们、先生们，同志们、朋友们！

中国人民抗日战争和世界反法西斯战争，是正义和邪恶、光明和黑暗、进步和反动的大决战。在那场惨烈的战争中，中国人民抗日战争开始时间最早、持续时间最长。面对侵略者，中华儿女不屈不挠、浴血奋战，彻底打败了日本军国主义侵略者，捍卫了中华民族5000多年发展的文明成果，捍卫了人类和平事业，铸就了战争史上的奇观、中华民族的壮举。

中国人民抗日战争胜利，是近代以来中国抗击外敌入侵的第一次完全胜利。这一伟大胜利，彻底粉碎了日本军国主义殖民奴役中国的图谋，洗刷了近代以来中国抗击外来侵略屡战屡败的民族耻辱。这一伟大胜利，重新确立了中国在世界上的大国地位，使中国人民赢得了世界爱好和平人民的尊敬。这一伟大胜利，开辟了中华民族伟大复兴的光明前景，开启了古老中国凤凰涅槃、浴火重生的新征程。

在那场战争中，中国人民以巨大民族牺牲支撑起了世界反法西斯战争的东方主战场，为世界反法西斯战争胜利作出了重大贡献。中国人民抗日战争也得到了国际社会广泛支持，中国人民将永远铭记各国人民为中国抗战胜利作出的贡献！

女士们、先生们，同志们、朋友们！

经历了战争的人们，更加懂得和平的宝贵。

我们纪念中国人民抗日战争暨世界反法西斯战争胜利70周年，就是要铭记历史、缅怀先烈、珍爱和平、开创未来。

那场战争的战火遍及亚洲、欧洲、非洲、大洋洲，军队和民众伤亡超过1亿人，其中中国伤亡人数超过3500万，苏联死亡人数超过2700万。绝不让历史悲剧重演，是我们对当年为维护人类自由、正义、和平而牺牲的英灵、对惨遭屠杀的无辜亡灵的最好纪念。

战争是一面镜子，能够让人更好认识和平的珍贵。今天，和平与发展已经成为时代主题，但世界仍很不太平，战争的达摩克利斯之剑依然悬在人类头上。我们要以史为鉴，坚定维护和平的决心。

为了和平，我们要牢固树立人类命运共同体意识。偏见和歧视、仇恨和战争，只会带来灾难和痛苦。相互尊重、平等相处、和平发展、共同繁荣，才是人间正道。世界各国应该共同维护以联合国宪章宗旨和原则为核心的国际秩序和国际体系，积极构建以合作共赢为核心的新型国际关系，共同推进世界和平与发展的崇高事业。

为了和平，中国将始终坚持走和平发展道路。中华民族历来爱好和平。无论发展到哪一步，中国都永远不称霸、永远不搞扩张，永远不会把自身曾经经历过的悲惨遭遇强加给其他民族。中国人民将坚持同世界各国人民友好相处，坚决捍卫中国人民抗日战争和世界反法西斯战争胜利成果，努力为人类作出新的更大的贡献。

中国人民解放军是人民的子弟兵，全军将士要牢记全心全意为人民服务的根本宗旨，忠实履行保卫祖国安全和人民和平生活的神圣职责，忠实执行维护世界和平的神圣使命。我宣布，中国将裁减军队员额30万。

女士们、先生们，同志们、朋友们！

“靡不有初，鲜克有终。”实现中华民族伟大复兴，需要一代又一代人为之努力。中华民族创造了具有5000多年历史的灿烂文明,也一定能够创造出更加灿烂的明天。

前进道路上,全国各族人民要在中国共产党领导下,坚持以马克思列宁主义、毛泽东思想、邓小平理论、“三个代表”重要思想、科学发展观为指导,沿着中国特色社会主义道路,按照“四个全面”战略布局,弘扬伟大的爱国主义精神,弘扬伟大的抗战精神,万众一心,风雨无阻,向着我们既定的目标继续奋勇前进!

让我们共同铭记历史所启示的伟大真理:正义必胜!和平必胜!人民必胜!

在纪念中国人民抗日战争暨世界反法西斯战争胜利70周年招待会上的讲话

（2015年9月3日）

习　近　平

尊敬的各位国家元首和政府首脑，
尊敬的联合国等国际组织代表，
尊敬的各位代表团团长，各位外军观摩团团长，各位驻华使节，
尊敬的各位来宾，
各位老战士、老同志，
女士们、先生们，同志们、朋友们：

首先，我代表中国政府和中国人民，并以我

个人的名义，对各位老战士、老同志、老民兵、支前模范，对抗战烈士亲属，对爱国人士和抗日将领或其遗属，对各位来宾及各位朋友的到来，表示诚挚的欢迎！向在座各位，向全国各族人民和世界各国人民，致以胜利纪念日的热烈祝贺！

今天上午，在天安门广场，历史又一次展现在我们面前，把我们的思绪带回到了70年前那个正义战胜邪恶、光明战胜黑暗、进步战胜反动的伟大时刻。当胜利的消息传来时，全中国沸腾了，人民喜极而泣，用欢呼和泪水庆祝来之不易的胜利，庆祝和平的到来。

世界反法西斯战争的胜利，彻底粉碎了法西斯主义和军国主义通过战争称霸世界的野心，彻底结束了列强通过争夺殖民地瓜分世界的历史，彻底瓦解了在世界上存在了几百年的殖民体系，对维护世界和平、促进共同发展产生了重大而深远的影响。

女士们、先生们，同志们、朋友们！

在那场艰苦卓绝的反侵略战争中，在中华民族危亡的时刻，中国人民的爱国热情像火山一样迸发出来。在中国共产党倡导建立的抗日民族统一战线旗帜下，“四万万人齐蹈厉，同心同德一戎衣”，中国人民以血肉之躯筑起拯救民族危亡、捍卫民族尊严的钢铁长城，用生命和鲜血谱写了中华民族历史上抵御外侮的伟大篇章。

中国人民抗日战争的胜利，是中国人民同反法西斯同盟国以及各国人民并肩战斗取得的伟大胜利。作为世界反法西斯战争的东方主战场，中国人民抗日战争为世界反法西斯战争胜利作出了重大贡献。

最伟大的力量是同心合力。为了自由、正义、和平，为了人民平安、安宁、幸福，在亚洲，在欧洲，在非洲，在大洋洲，在世界各个战场上，世界反法西斯同盟国军队和人民以及各种反法西斯力量，携手跨进同一条战壕，汇聚起挽狂澜于既倒的强大力量。

中国人民永远不会忘记，世界上爱好和平与正义的国家和人民、国际组织对中国人民抗日战争给予的宝贵支持。苏联给予中国抗战有力的物资支持，美国"飞虎队"冒险开辟驼峰航线，朝鲜、越南、加拿大、印度、新西兰、波兰、丹麦以及德国、奥地利、罗马尼亚、保加利亚、日本等国的一大批反法西斯战士直接参加了中国抗战。加拿大医生白求恩、印度医生柯棣华不远万里来华救死扶伤，法国医生贝熙叶开辟运输药品的自行车"驼峰航线"，德国的拉贝、丹麦的辛德贝格在南京大屠杀中千方百计保护中国难民，英国的林迈可、国际主义战士汉斯·希伯等记者积极报道和宣传中国抗战壮举。战争后期，苏联红军开赴中国东北战场，同中国军民一道对日作战，加速了彻底打败日本侵略者的进程。这些事迹至今仍在中国人民中间广为传颂。

在此，我代表中国政府和中国人民，向所有支援和帮助过中国人民抗日战争的外国政府、国际组织和国际友人，表示衷心的感谢！

女士们、先生们，同志们、朋友们！

人类历史必然会有曲折，也必然会不断前进。中国人民抗日战争和世界反法西斯战争的胜利再一次雄辩证明，正义战胜邪恶的历史潮流不可阻挡，逆历史潮流而动必然失败。

只有正确认识历史，才能更好开创未来。历史是写在人民心中的，历史不容抹杀，也是抹杀不了的。那些惨无人道的侵略行径，那些血雨腥风的战争场面，那些令人发指的屠杀罪行，那些在战争中不幸死亡的几千万无辜生灵，都铭记在人类的史册上，都铭记在人类的心中。

血的教训不能忘却。昨天的历史不是今天的人们书写的，但今天的人们不能脱离昨天的历史来把握今天、开创明天。

我们纪念中国人民抗日战争和世界反法西斯战争的胜利，我们谴责侵略者的残暴，是要唤起善良的人们对和平的向往和坚守，而不是要延续仇恨。

历史会逐渐久远，但历史的启迪和教训，不管承认不承认，永远就在那儿。无论是当年勇敢抗击侵略战争的国家的人民还是当年发动侵略战争的国家的人民，无论是经历了那个年代的人们还是在那个年代以后出生的人们，都要坚持正确历史观，牢记历史的启迪和教训。

历史的启迪和教训是人类的共同精神财富。忘记历史就意味着背叛。中国人民抗日战争和世界反法西斯战争的胜利成果不容置疑，几千万人为独立、自由、和平付出的牺牲不容否定。一切否认侵略战争性质的言行，一切歪曲甚至美化侵略战争的言行，一切逃避侵略战争历史责任的言行，不论以什么形式出现，不论讲得如何冠冕堂皇，都是自欺欺人的。“得道者多助，失道者寡助。”否认侵略历史，是对历史的嘲弄，是对人类良知的侮辱，必然失信于世界人民。

女士们、先生们，同志们、朋友们！

和平来之不易，和平必须捍卫。基于对历史的惨痛感知，中国人民将始终不渝走和平发展道路，始终不渝奉行互利共赢的开放战略，在和平共处五项原则基础上发展同一切国家的友好合作，坚定不移维护世界和平。中国的发展壮大必将是世界和平力量的发展壮大。

我们也真诚希望，各国都更好从历史中汲取智慧和力量，坚持和平发展，共同开创世界和平充满希望的未来！

现在，我提议，大家共同举杯：

为中国人民抗日战争的伟大胜利，

为世界反法西斯战争的伟大胜利，

为各国人民团结和友谊，

为人类持久和平、共同繁荣的光明未来，

为在座各位的健康，

干杯！

在颁发“中国人民抗日战争胜利70周年”纪念章仪式上的讲话

（2015年9月2日）

习　近　平

同志们，朋友们：

今天，我们在这里隆重举行仪式，为抗战老战士、老同志、抗战将领，为帮助和支持中国抗战的国际友人或其遗属代表颁发“中国人民抗日战争胜利70周年”纪念章，目的是表达对抗战英雄的崇敬，弘扬伟大的抗战精神，宣示中国人民铭记历史、缅怀先烈、珍爱和平、开创未来的坚定决心。

首先，我代表中共中央、国务院、中央军委，向在中国人民抗日战争中英勇牺牲的烈士，表示崇高的敬仰！向抗战老战士、老同志、抗战将领，向帮助和支持中国抗战的国际友人，致以崇高的敬意！

天下艰难际，时势造英雄。在14年反抗日本军国主义侵略特别是8年全面抗战的艰苦岁月中，全体中华儿女万众一心、众志成城，凝聚起抵御外侮、救亡图存的共同意志，谱写了感天动地、气壮山河的壮丽史诗，涌现出杨靖宇、赵尚志、左权、彭雪枫、佟麟阁、赵登禹、张自忠、戴安澜等一批抗日英烈和八路军"狼牙山五壮士"、新四军"刘老庄连"、东北抗联八位女战士及国民党军"八百壮士"等众多英雄群体。无论是正面战场还是敌后战场，无论是直接参战还是后方支援，所有投身中国人民抗日战争中的人们，都是抗战英雄，都是民族英雄。在座很多人都是抗战的亲历者、见证者，经历了战火洗礼，把青春和热血献给了人类和平事业。

在中国人民抗日战争的烽火岁月里，苏联、美国、英国、朝鲜、加拿大、印度等国的反法西斯战士和国际友人，同中国人民并肩作战，在血与火、生与死的考验中结下了深厚友谊。今天在座受奖的10位外籍老战士、老朋友就是他们中的英雄代表。中国人民将永远记住你们，记住世界人民为中国人民抗日战争作出的牺牲和贡献！

在波澜壮阔的中国人民抗日战争中，千千万万的抗战英雄抛头颅、洒热血，为战争胜利作出了重大贡献，为铸就伟大的抗战精神作出了重大贡献。伟大的抗战精神，永远是激励中国人民克服一切艰难险阻、为实现中华民族伟大复兴而奋斗的强大精神动力。

——在抗战英雄身上，充分展现了天下兴亡、匹夫有责的爱国情怀。以身许国、精忠报国是抗战英雄最鲜明的品质。面对民族生死存亡，全体同胞以"誓死不当亡国奴"的民族自尊，挺身而出，共赴国难。在中国共产党倡导建立的抗日民族统一战线旗帜下，海内外中华儿女以强烈的家国情怀，空前团结起来，争先投入保家卫国的伟大斗争之中，形成了人民战争的汪洋大海，谱写下惊天地、泣鬼神的爱国主义篇章。

——在抗战英雄身上，充分展现了视死如归、宁死不屈的民族气节。“时穷节乃见，一一垂丹青。”日本军国主义侵略者极其残暴，以惨绝人寰的手段对待中国人民，企图以屠杀和死亡让中国人民屈服。面对侵略者的屠刀，中国人民用血肉之躯筑起新的长城，人人抱定必死之心。成千上万的英雄们，在侵略者的炮火中奋勇前进，在侵略者的屠刀下英勇就义，彰显出中华民族威武不能屈的浩然正气。

——在抗战英雄身上，充分展现了不畏强暴、血战到底的英雄气概。毛泽东同志说过，我们中华民族有同自己的敌人血战到底的气概，有在自力更生的基础上光复旧物的决心，有自立于世界民族之林的能力。近代以后，面对强敌的一次次入侵，中华民族没有屈服，而是不断集结起队伍，前仆后继，顽强抗争，誓与侵略者血战到底，奏响了无数气壮山河的英雄凯歌。

——在抗战英雄身上，充分展现了百折不挠、坚忍不拔的必胜信念。信念如炬，九死未悔。从日本军国主义侵略者的铁蹄踏进中国大地之时起，中国人民就开展了抗击侵略者的伟大斗争，无论条件多么艰苦，无论战争多么残酷，无论牺牲多么巨大，中国人民从来都没有动摇光复河山的决心。中国人民抱定了抗战到底的信念，坚持抗战，持久抗战，终于打败了凶恶的侵略者、赢得了战争的最后胜利，创造了人类战争史上的一个奇迹。

同志们、朋友们！

正是因为鸦片战争以后中国人民不懈抗争和持续奋斗，正是因为前人们浴血奋斗和英勇牺牲，我们的国家才有了今天的独立自主，我们的民族才有了今天的发展繁荣，我们的人民才有了今天的幸福生活。

近代以来，一切为中华民族独立和解放而牺

牲的人们，一切为中华民族摆脱外来殖民统治和侵略而英勇斗争的人们，一切为中华民族掌握自己命运、开创国家发展新路的人们，都是民族英雄，都是国家荣光。中国人民将永远铭记他们建立的不朽功勋！

“天地英雄气，千秋尚凛然。”一个有希望的民族不能没有英雄，一个有前途的国家不能没有先锋。包括抗战英雄在内的一切民族英雄，都是中华民族的脊梁，他们的事迹和精神都是激励我们前行的强大力量。

今天，中国正在发生日新月异的变化，我们比历史上任何时期都更加接近实现中华民族伟大复兴的目标。实现我们的目标，需要英雄，需要英雄精神。我们要铭记一切为中华民族和中国人民作出贡献的英雄们，崇尚英雄，捍卫英雄，学习英雄，关爱英雄，戮力同心为实现“两个一百年”奋斗目标、实现中华民族伟大复兴的中国梦而努力奋斗！

图书在版编目(CIP)数据

习近平在纪念中国人民抗日战争暨世界反法西斯战争胜利70周年系列活动上的讲话. —北京:人民出版社,2015.9
ISBN 978-7-01-015234-9

Ⅰ.①在… Ⅱ. Ⅲ.①习近平-讲话-学习参考资料 ②抗日战争-中国-学习参考资料 ③第二次世界大战-学习参考资料 Ⅳ.①D2-0 ②K265.07

中国版本图书馆CIP数据核字(2015)第212911号

(RMC-ZJDXI-022-20150903)

习近平在纪念中国人民抗日战争暨
世界反法西斯战争胜利70周年系列活动上的讲话
XI JINPING ZAI JINIAN ZHONGGUO RENMIN KANGRI ZHANZHENG JI SHIJIE FANFAXISI ZHANZHENG SHENGLI 70 ZHOUNIAN XILIE HUODONG SHANG DE JIANGHUA

人民出版社 出版发行
(100706 北京市东城区隆福寺街99号)

北京新华印刷有限公司印刷 新华书店经销

2015年9月第1版 2015年9月北京第1次印刷
开本:880毫米×1230毫米 1/32 印张:0.75
字数:9千字 印数:00,001-60,000册

ISBN 978-7-01-015234-9 定价:2.50元

邮购地址 100706 北京市东城区隆福寺街99号
人民东方图书销售中心 电话 (010)65250042 65289539